Brigitte LUCIANI et Eve

Monsieur Blaireau et Madame Renarde

2. REMUE-MÉNAGE

DARGAUD

Mille bulles de l'école des loisirs

11 rue de Sèvres, Paris 6e

Merci à Briac et à Jean-Marie B. pour l'inspiration.

E.T.

www.millebulles.com

ISBN 978-2-211-20016-5
Première édition dans la collection Mille bulles : 2010

Loi n° 49.956 du 16 juillet 1949 sur les publications destinées à la jeunesse : octobre 2010
Dépôt légal : octobre 2010
Imprimé en France par Pollina à Luçon - n° L54650

Ça fait exactement un mois que vous avez débarqué dans notre terrier, toi et ta fille.
C'est un bon vent qui nous y a poussées !
Un TRÈS bon vent.
Et quelques chasseurs malintentionnés !
Il faudra qu'un jour nous les remerciions. C'est grâce à eux que nous avons fait connaissance.
Oui, sans le vouloir, ils nous ont porté chance.
Même les enfants sont heureux ensemble !
Tu n'es qu'un gros nul !
Regardez comme elle se dégonfle, la poule mouillée !

Tu racontes que des salades, truffe morveuse!
Tu n'y comprends rien parce que tu as une cervelle de limace!
Vas-y, Roussette, plus fort!

Espèce de tapis pouilleux!
Crotte de mouche!
Paillasson à rayures!
Prout de putois!

Hum, hum.

Est-ce qu'on peut savoir ce qui se passe ici?

Ne vous inquiétez surtout pas.
Tout va bien!

Ils m'entraînent à me disputer.
Parce que tu as besoin d'entraînement ?

Bien sûr ! Regarde, Carcajou et Glouton se chamaillent depuis qu'ils sont tout petits.

Et moi, je n'avais que mes copains pour m'exercer. Alors qu'on se dispute quand même beaucoup mieux avec un frère. **Là**, c'est naturel !

Roussette a pris du retard, c'est vrai.
Mais pour une fille unique, elle se défend bien.
Et elle apprend vite. Je pense qu'elle est assez douée pour la dispute.

Ah ! Me voilà rassurée !

Bon, on vous laisse à vos entraînements.
Mais n'oubliez pas que vous devez encore ranger vos chambres !

En tout cas, ils ne s'ennuient jamais ensemble. C'est déjà ça.

Ouf ! Heureusement, nous n'en étions qu'au premier stade de l'entraînement.
C'est vrai, papa déteste qu'on se bagarre.

Parfois, il est vraiment trop sévère !
Tu n'as pas l'habitude avec ta mère, c'est tout !

C'est **trop** désagréable de se faire surprendre comme ça. Il vaut mieux aller dans notre cabane.
D'accord. Mais il faudrait l'aménager un peu.

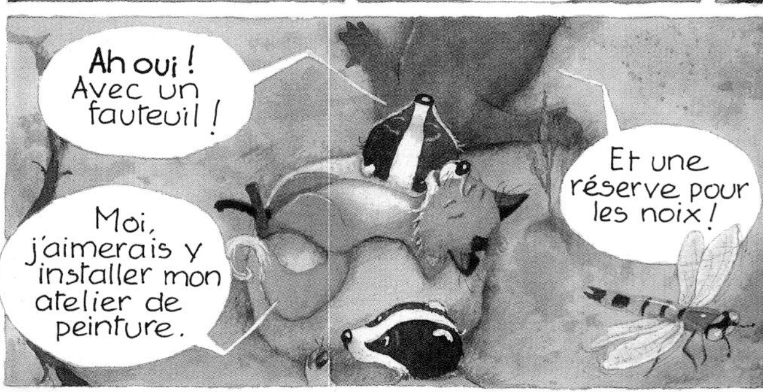
Ah oui ! Avec un fauteuil !
Et une réserve pour les noix !
Moi, j'aimerais y installer mon atelier de peinture.

Ça ne va pas être simple.
Mais pourquoi pas ?

Je crois que nous avons un problème...

C'est trop petit !

Mais non, ouvrez les yeux ! Il y a plein de place...

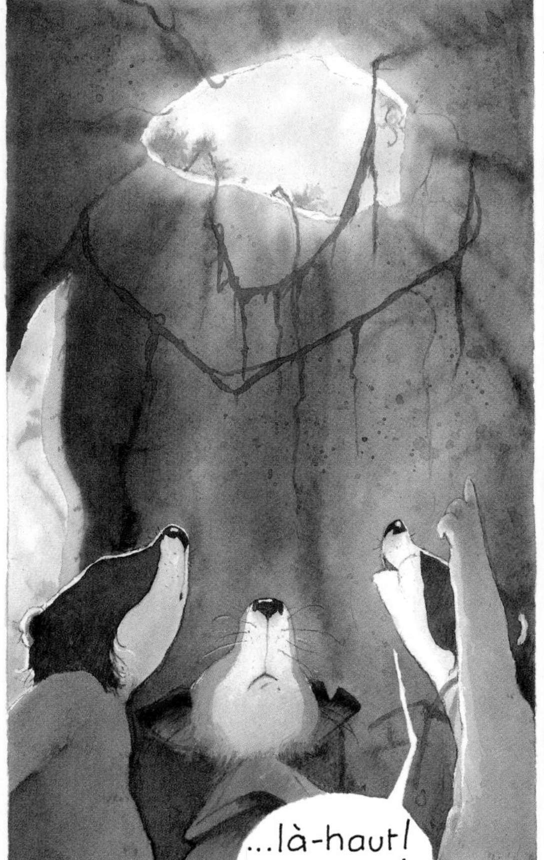
...là-haut !

Mais Carcajou, nous ne sommes pas des oiseaux !
Nous n'avons pas besoin de voler pour y monter.

Il nous suffit d'avoir des cordes et des filets.

Ça y est!
C'est très confortable. Mais je commence à avoir faim. Ça doit être l'heure du dîner.
Mince! Il est tard!
Ils sont peut-être déjà en train de manger sans nous!
Vite, dépêchons-nous!
Attendez, il faut effacer nos traces! Sinon, quelqu'un va découvrir notre cachette!
On revient après le repas. Allez, grouille Roussette! Sinon, on va avoir des ennuis.
Et un repas froid!
Oh, vous et vos heures de repas! Avec ma mère, nous avons toujours mangé quand ça nous chantait.

Excusez-nous!
Tiens, les touristes!

Pourquoi êtes-vous en retard?
Nous n'avons pas vu le temps passer.
Et puis il y avait un chien.

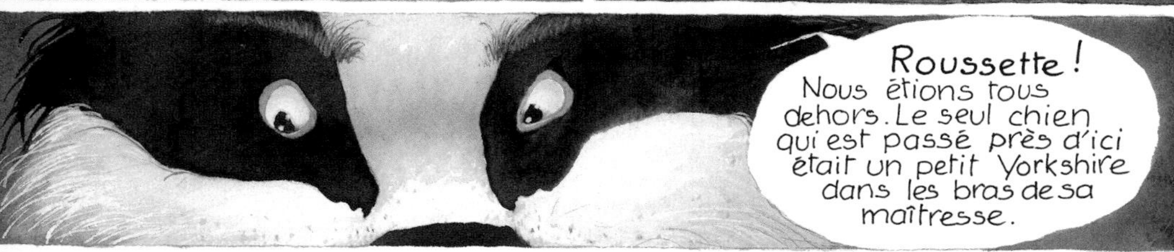
Roussette! Nous étions tous dehors. Le seul chien qui est passé près d'ici était un petit Yorkshire dans les bras de sa maîtresse.

Oui, mais bon, vous dites toujours qu'on ne fait jamais assez attention avec les chiens.

Puisque vous ne savez pas rentrer à l'heure, vous resterez au terrier après le repas.
Mais nous avons encore quelque chose d'important à faire!

Tout à fait, Roussette. Et cette chose s'appelle «ranger vos chambres»!

Qu'est-ce que tu as, Roussette ?
Pourquoi ne ranges-tu pas tes affaires ?

Tu ne m'as jamais demandé de faire ça ! C'était toujours très bien. Alors, pourquoi je dois ranger maintenant ?

Avant, nous n'étions que toutes les deux.
Maintenant, nous sommes six et ce serait le bazar si tout le monde faisait comme toi.

Et puis tu savais depuis ce matin qu'il fallait le faire. Demain, c'est le jour du grand ménage. Et avant, il faut ranger le terrier, c'est comme ça.

Cachés joujoux !
Bravo Cassis ! Tu ranges très bien.

Avant, nous n'avons jamais fait de grand ménage !

Disons que les blaireaux sont un peu plus propres que les renards.
Mais ne t'inquiète pas, ça ne nous fera pas de mal !
Allez Roussette, au travail !
Toi, arrête de faire la chouchoute !
C'est MA maman !
Et puis zut !
Bon, tu veux bien m'aider à ranger, Cassis ?

Hé, psssst !
Mais qu'est-ce que tu fabriques?
Ça ne se voit pas ? Je réveille ton frère.
Pourquoi ? C'est grave?
Tu n'as vraiment peur de rien, toi !
Oui, c'est grave ! Il ne faut jamais réveiller un blaireau qui dort !
Euh... désolée.
Mais maintenant que vous êtes réveillés, autant en profiter !
Notre cabane nous attend. Nous avons un travail à finir!

Je n'y crois pas!
Allez, Glouton! C'est une bonne idée : une petite promenade nocturne, un peu d'aventure!
Oui, ça va être une sacrée aventure de se faire attraper par papa!

Si votre père nous surprend, vous pouvez toujours dire que c'est moi qui vous ai entraînés. De toute façon, il est méchant avec moi, alors ça ne changera pas grand-chose.
Où tu as vu qu'il était méchant avec toi?

Il n'arrête pas de me gronder.
Tu confonds être méchant et être sévère.
Non, crois-moi, il ne m'aime pas beaucoup!

Qu'est-ce que tu as?
Vous n'avez rien entendu?

Cassis!!
Pourquoi n'es-tu pas dans ton lit ?
Pas dodo!
Super... Qu'est-ce qu'on fait? On la ramène?
Elle va réveiller les parents.
Mieux vaut l'emmener. Ça ne sera pas long et elle ne nous gênera pas.
N'empêche, j'ai toujours l'impression d'être observé.
Trouillard! Avec cette lune, il n'y a vraiment pas de quoi avoir peur.
ou-hou-ou!

C'était juste une chouette ! Elle ne nous attaquera pas, nous sommes trop grands pour elle.
Il y a autre chose.
Maintenant, je le sens aussi !

Quand je pense que je pourrais être au chaud dans mon lit !
On devrait faire demi-tour. Je ne veux pas que Cassis soit effrayée.
Pfff, franchement, on dirait que vous n'êtes jamais sortis la nuit.

D'accord, on rentre !

Pas si vite, les petits !

Relax! Ne me dites pas que je vous ai fait peur ?!
Papa!
Et voilà la plus belle des petites renardes!
Papa, je te présente Cassis, Carcajou et Glouton.
Bonsoir!
Bonsoir tout le monde!
Vous allez où comme ça?
À notre cabane.
Tu nous accompagnes?
Qu'est-ce que tu fais ici, papa?
Je reviens des Hautes Montagnes du Sud et je comptais passer te voir demain.
Mais comment tu as fait pour me retrouver?
Ta mère a laissé un message à côté de l'ancien terrier.

Oh! Non! Il y a quelqu'un!
Je vous l'avais bien dit qu'il fallait cacher l'entrée de la cabane!

Non mais, on ne va pas se laisser faire par des chats !

Hé ! Qu'est-ce que vous faites là?

De quoi vous mêlez-vous?
C'est chez nous ici !
Sans blague ! Et pourquoi?

C'est **nous** qui avons découvert cet arbre en premier !
Et c'est **nous** qui l'avons aménagé !
Et maintenant, il est à **nous**...
Mais merci pour les hamacs ! Ils sont super confortables !
Et pratiques pour jouer **à chat** !
Hahaha !
Arrêtez, vous allez tout casser !
Et alors ?
Si on en a envie ? Qui va nous en empêcher ?
Moi, par exemple.
Ah, d'accord !

Dommage qu'il se fasse si tard.
Oui, parce que là, il faut que nous rentrions au village.
On discutera la prochaine fois !
Heureusement que tu étais là ! Mais qu'est-ce qu'on fait s'ils reviennent ?
Ce ne sont que deux chats grassouillets du village. Tant que vous restez tous ensemble, vous ne risquez pas grand-chose.
Bon, maintenant je vous montre comment bien dissimuler l'entrée de votre superbe cabane.
Sinon vous allez encore avoir d'autres visites de ce genre.
Et puis je vous ramène à votre terrier.

Ça va faire bizarre de passer une journée sans Roussette.
C'est bien elle, ça ! Elle s'amuse avec son père pendant que nous travaillons.
Il est trop chouette son père, tu ne trouves pas ? Tout à l'heure, quand il est venu chercher Roussette, il n'a pas dit un mot à propos d'hier.
Chut !
Voilà la dernière. Ça va ?
Oui...
On était en train de se demander où il habitait, le père de Roussette.
Il habite partout et nulle part. Il aime découvrir de nouveaux territoires. Bref, il ne tient pas en place.

C'est peut-être à cause de ça qu'ils se sont séparés.
Peut-être. En tout cas, ça ne doit pas être simple pour Roussette.
Mais elle m'a dit que ça avait aussi du bon.

Parce que maintenant, il n'y a plus de disputes entre sa mère et son père.

Et puis quand son père n'est pas en voyage...
...il vient la voir chaque semaine et passe une journée rien qu'avec elle.
Du coup, ils font presque plus de choses ensemble qu'avant.

Oh! pardon!
Splatch
Hé!

Tiens, moi aussi j'ai envie qu'on fasse quelque chose ensemble !

Une bataille d'eau !!!

Ça y est. Tout est lavé – même les enfants !
Maintenant, nous allons essuyer les meubles avec des feuilles de saule.
Oh, Edmond ! Nous avons tellement travaillé, nous méritons une pause.
Si nous faisions plutôt un pique-nique pendant que le vent sèche les meubles ?
Oh oui, papa !
Vous avez raison, nous avons mérité une récompense.

Depuis que Marguerite vit avec nous, papa est devenu beaucoup plus cool.
C'est sûr.
Avant, il n'aurait jamais laissé un travail avant de l'avoir terminé.
Maintenant, il a autre chose à faire...
Il préfère être avec Marguerite !
Et il a raison. Elle est trop gentille !
C'est vrai qu'elle est gentille !
Et si on lui faisait une petite surprise ?

Au revoir, ma jolie ! Je reviens bientôt !
Je te montrerai toutes mes nouvelles peintures !

Et si tu fais des bêtises, ne te laisse pas attraper !
Compte sur moi !

Attention mignonne, ça va bouger.
Pour maman !

Merci mon trésor !

Papa ?
C'est **ma** maman !
Tu parles ! Je ne manque à **personne** ! Mon père est encore parti et ma mère a plein d'autres enfants.

C'est un peu comme si je n'avais pas de parents du tout.

Crac

Tiens, regarde qui est là ! Notre copine d'hier. Mais elle est toute seule, la pauvre !
Là, elle va peut-être moins faire la fière !

Oussette!
Bon, je vais faire un tour avec Cassis. Elle ne tient plus en place.
Ne t'inquiète pas pour Roussette, son père va bientôt la ramener.
Attends-moi, Cassis. Où vas-tu ?
Oussette ?!
ici !
Edmond ! Cassis ! Je suis là !
Qu'est-ce qui t'est arrivé ?
Ce sont ces chats qui veulent nous piquer notre cabane !

Ils viennent de partir pour chasser leur goûter. Mais ils ont dit qu'ils allaient revenir.
Oh non !
Regardez, ils ont même cassé mon tableau !
Je pense qu'il faut que je m'occupe de ces chats !
Ils vont apprendre que ce n'est pas bon pour eux de s'attaquer à un de mes enfants !
Tu veux te battre avec eux ?
Non. Tant qu'on peut éviter une bagarre, il faut l'éviter. On risque toujours d'être blessé. Et si c'est l'autre qui est blessé, ce n'est pas beaucoup mieux.
Crois-moi, Roussette : chaque bagarre évitée est une bagarre gagnée !
Mais ça ne veut pas dire que nous sommes obligés de nous laisser faire !
On va leur préparer une petite surprise qui leur apprendra à respecter les cabanes des autres.
Tu m'aides, Roussette ?
Bien sûr !

J'en ai marre ! C'est trop dur de chasser par ici !
Je ne sais pas ce que les souris mangent dans ce coin mais au village, je les trouve bien plus grasses !
Et plus lentes !

Moi, je vais m'offrir une mégasieste ! Et après, on s'occupera de la prisonnière.
Tiens, il était là avant, ce hamac ?
Pousse-toi, il a l'air trop confortable !

Mais arrête, c'est bizarre...

Slonk
Splitch
Splatch

Ne me parle plus jamais de cette forêt...
...ou je t'arrache ta moustache !

Ils n'ont même pas compris ce qui leur est arrivé !
Non, et c'est tant mieux. Comme ça, ils ne chercheront pas à se venger.
Edmond ?
C'est vrai ce que tu as dit tout à l'heure ?
Qu'est-ce que j'ai dit ?
Tu as dit que j'étais un de tes enfants.
C'est vrai que je te vois un peu comme mon enfant.
La preuve, je suis aussi sévère avec toi qu'avec mes garçons.
J'espère que ça ne te gêne pas ?
Non, pas vraiment ! Seulement...
... pourquoi es-tu si sévère avec tes enfants ?
Je suppose que c'est parce que je suis un blaireau...

C'est facile de parler comme ça maintenant. Je crois que tu n'as pas bien vu leurs griffes !
Si nous avions été tous ensemble, ces maudits chats auraient eu une sacrée raclée !
Rassurez-vous, ils ont eu leur compte !
Les enfants, c'était une longue journée. Il est temps d'aller se reposer.
Bonne nuit, ma puce.
Maman? Tu ne trouves pas que tu as beaucoup d'enfants maintenant ?
Si ! Mais c'est tant mieux, non ?
Et quoi qu'il arrive...
...toi, tu resteras toujours MA Roussette, n'est-ce pas ?
Oui !

Hé, psssт !
Mais tu n'as rien compris, dis donc !
Si, justement.
Et je voulais fêter ça avec vous !
Maintenant, c'est **moi** qui n'y crois pas !
Allez, Carcajou ! C'est une bonne idée : un petit repas nocturne, ça c'est une aventure **à mon goût** !

Alors, qu'est-ce qu'on fête, là ?
On fête que j'ai **plein** de parents !
Bon, ça... pas sûr que ce soit un avantage !
Et plein de **frères** et **sœurs** !
Oh, l'autre !
Tiens, nous n'avions pas fini notre entraînement !
Allez, on passe au deuxième stade !!
Tu as certainement raison, Edmond.
Ils ne s'ennuieront jamais ensemble !

fin